Madame CÂLIN

Collection MADAME

Publié par Egmont sous le titre *Little Miss Hug* en 2014

Traduction : Anne Marchand-Kalicky.

Madame CÂLIN

T'est-il déjà arrivé de trébucher comme madame Petite lorsqu'elle avait glissé du trottoir ?

Je suppose que oui.

N'as-tu pas alors secrètement souhaité que quelqu'un s'approche de toi, te prenne dans ses bras et te console ?

Madame Câlin était justement cette personne-là.

Madame Câlin avait une particularité : ses bras !

Ils pouvaient en effet s'adapter parfaitement à toutes les personnes qu'elle voulait câliner.

Que ce soit monsieur Petit après la chute d'une brindille sur son chapeau...

… ou monsieur Malchance après l'une de ses célèbres dégringolades…

… ou encore monsieur Gourmand après
une indigestion.

Madame Câlin était toujours là pour faire des câlins
parfaits et arranger les choses.

Et même quand tout allait bien, dans des moments heureux, comme par exemple lors des fêtes d'anniversaire, tout le monde réclamait un câlin !

Madame Câlin pouvait aussi faire des câlins juste comme ça, pour le plaisir !

Même des gens comme madame Autoritaire avaient besoin de câlins de temps en temps.

C'est normal ! Tout le monde aime les câlins, n'est-ce pas ?

Enfin, c'est ce que pensait madame Câlin.

Mais un jour, alors qu'elle se promenait, elle entendit quelqu'un caché derrière une haie. Quelqu'un qui râlait, gémissait, soufflait et ronchonnait !

Quelqu'un qui avait très mauvais caractère…
Sais-tu qui cela pouvait être ?

C'était monsieur Grincheux !

Et devines-tu pour quelle raison monsieur Grincheux était de si mauvaise humeur ?

Tout simplement parce qu'il faisait beau et chaud, ce qui ne lui plaisait pas du tout !

Aussi rapide que l'éclair, madame Câlin contourna la haie, tendit ses bras et serra monsieur Grincheux contre elle.

Enfin… c'est ce qu'elle essaya de faire car soudain, il se passa quelque chose qui ne lui était jamais arrivé : monsieur Grincheux la repoussa.

– Laissez-moi tranquille ! cria-t-il.

Madame Câlin n'en crut pas ses yeux.
Personne ne lui avait jamais refusé un câlin.

– Mais... mais... tout le monde aime les câlins !
bégaya-t-elle.

Elle tenta à nouveau de lui faire un câlin.

– Je sais ce que vous essayez de faire ! s'écria-t-il.
Et ça ne marchera pas avec moi.
Je suis grincheux, j'aime être grincheux
et tous vos câlins n'y changeront rien !

Mais madame Câlin ne relâcha pas son étreinte.

– Je vous ai dit de me…

Monsieur Grincheux stoppa brusquement sa phrase. Un étrange sentiment venait de l'envahir, une sensation qu'il n'avait jamais ressentie. Comme une douce chaleur au plus profond de lui.

Madame Câlin le serra encore plus fort.

C'est alors qu'une chose extraordinaire se produisit.
Lentement, très lentement, un sourire se dessina
sur le visage de monsieur Grincheux.

Pour la première fois de sa vie, monsieur Grincheux
était heureux.

Madame Câlin recula de quelques pas.

– Je dois avouer que vous avez un très joli sourire,
dit-elle.

Et devine ce que fit monsieur Grincheux ?

Il rougit !

Pour la première fois de sa vie.

Puis, il serra madame Câlin contre lui.
Pour la première fois de sa vie, il fit un câlin
à quelqu'un !

Enfin, comme tu peux le constater, c'était presque
un câlin… pas tout à fait le même que celui
de madame Câlin, mais finalement…

… à chacun son câlin !